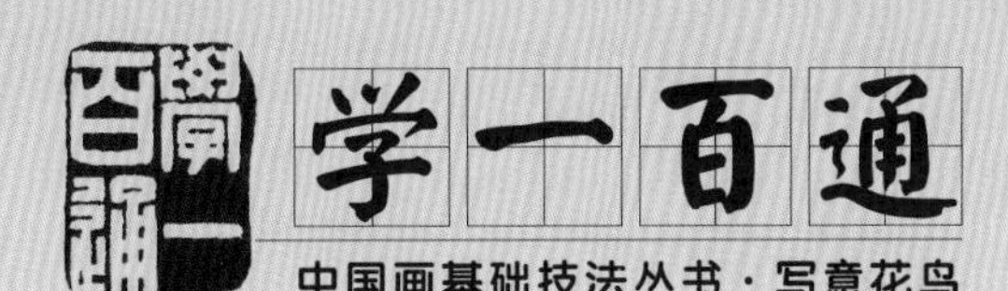

中国画基础技法丛书·写意花鸟

竹子

ZHUZI

陈再乾◎著

ZHONGGUOHUA JICHU JIFA CONGSHU·XIEYI HUANIAO

广西美术出版社

序

中国画，特别是中国花鸟画是最接地气的高雅艺术。究其原因，我认为其一是通俗易懂，如牡丹富贵而吉祥，梅花傲雪而高雅，其含义妇孺皆知；其二是文化根基源远流长，自古以来中国文人喜书画，并寄情于书画，书画蕴涵着许多文化的深层意义，如有梅、兰、竹、菊清高于世的四君子，有松、竹、梅岁寒三友！它们都表现了古代文人清高傲世之心理状态，表现人们对清明自由理想的追求与向往也。为此有人追求清高的，也有人为富贵、长寿而孜孜不倦。以牡丹、水仙、灵芝相结合的“富贵神仙长寿图”正合他们之意；想升官发财也有寓意，画只大公鸡，添上源源不断的清泉，为高官俸禄，财源不断也，中国花鸟画这种以画寓意，以墨表情，既含蓄表现了人们的心态，又不失其艺术之韵意。我想这正是中国花鸟画得以源远而流长，喜闻而乐见的根本吧。

此外，我国自古以来就有许多学习、研读中国画的画谱，以供同行交流、初学者描摹习练之用。《三竹斋画谱》《芥子园画谱》为最常见者，书中之范图多为刻工按原画刻制，为单色木板印刷与色彩套印，由于印刷制作条件限制，与原作相差甚远，读者也只能将就着读画。随着时代的发展，现代的印刷技术有的已达到了乱真之水平，给专业画者、爱好者与初学者提供了一个可以仔细观赏阅读的园地。广西美术出版社编辑出版的“中国画基础技法丛书——学一百通”可谓是一套现代版的“芥子园”，是集现代中国画众家之所长，是中国画艺术家们几十年的结晶，画风各异，用笔用墨、设色精到，可谓洋洋大观，难能可贵，如今结集出版，乃为中国画之盛事，是为序。

黄宗湖教授

2016年4月于茗园草

作者系广西美术出版社原总编辑

广西文史研究馆画院副院长

齐白石《墨竹》

一、竹子概论

“竹”作为一种民族精神和传统文化广为流传，抱节虚心，岁寒不凋。《诗经》：“瞻彼淇奥，绿竹猗猗，有匪君子，如切如磋……”即以竹喻君子情操。竹枝干挺拔修长，亭亭玉立，袅娜多姿，四时青翠，凌霜傲雨，备受我国人民喜爱，有梅兰竹菊“四君子”、松竹梅“岁寒三友”等美称。我国古今文人骚客，嗜竹咏竹者众多。据传，大画家郑板桥无竹不居，留下大量竹画和咏竹诗。大诗人苏东坡则留下“宁可食无肉，不可居无竹”的名言。

“抱节元无心，凌云如有意。寂寂空山中，凛此君子志。”竹历来被作为品德高尚、情操磊落的象征。苏东坡曾说：“得志遂茂而不骄，不得志瘁瘠而不辱，群居不倚，独立不惧”，正是以竹喻君子之道德人品。

从古代的文同、扬无咎、吴镇、文徵明、金农、郑板桥等，乃至近代虚谷、吴昌硕、齐白石、卢坤峰等皆从不同角度、不同风格去描绘蔚然君子之风。中国画竹子的历史悠久且高手辈出，至元、明、清有各种竹谱为喜爱竹者启开初学之门。五代至今，传世作品及画竹的论述十分丰富。中国画的竹以水墨为主，又曰乌竹。元代书画家赵子昂于书法有着很深的造诣，并强调“书画同源”，有诗曰：“石如飞白木如籀，写竹还应八法通。若也有人能会此，便知书画本来同。”然而画好竹子并非易事，有“一生兰，半生竹”之说，只有经过仔细认真的观察了解和大量的临摹、创作才能使竹技达到更高的境界。

本书作为基础技法丛书，结合教学的特点，介绍了竹的几种基本画法和技法，供学者了解、学习。编此书以奉世之学竹喻君子、画君子、效君子者。

竹子实物照片

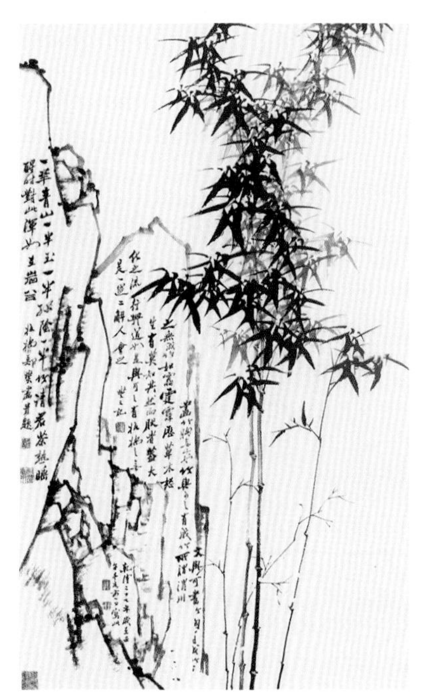

清　郑燮《石竹》

五代　徐熙《雪竹图》

宋　文同《墨竹图》

二、笔 墨

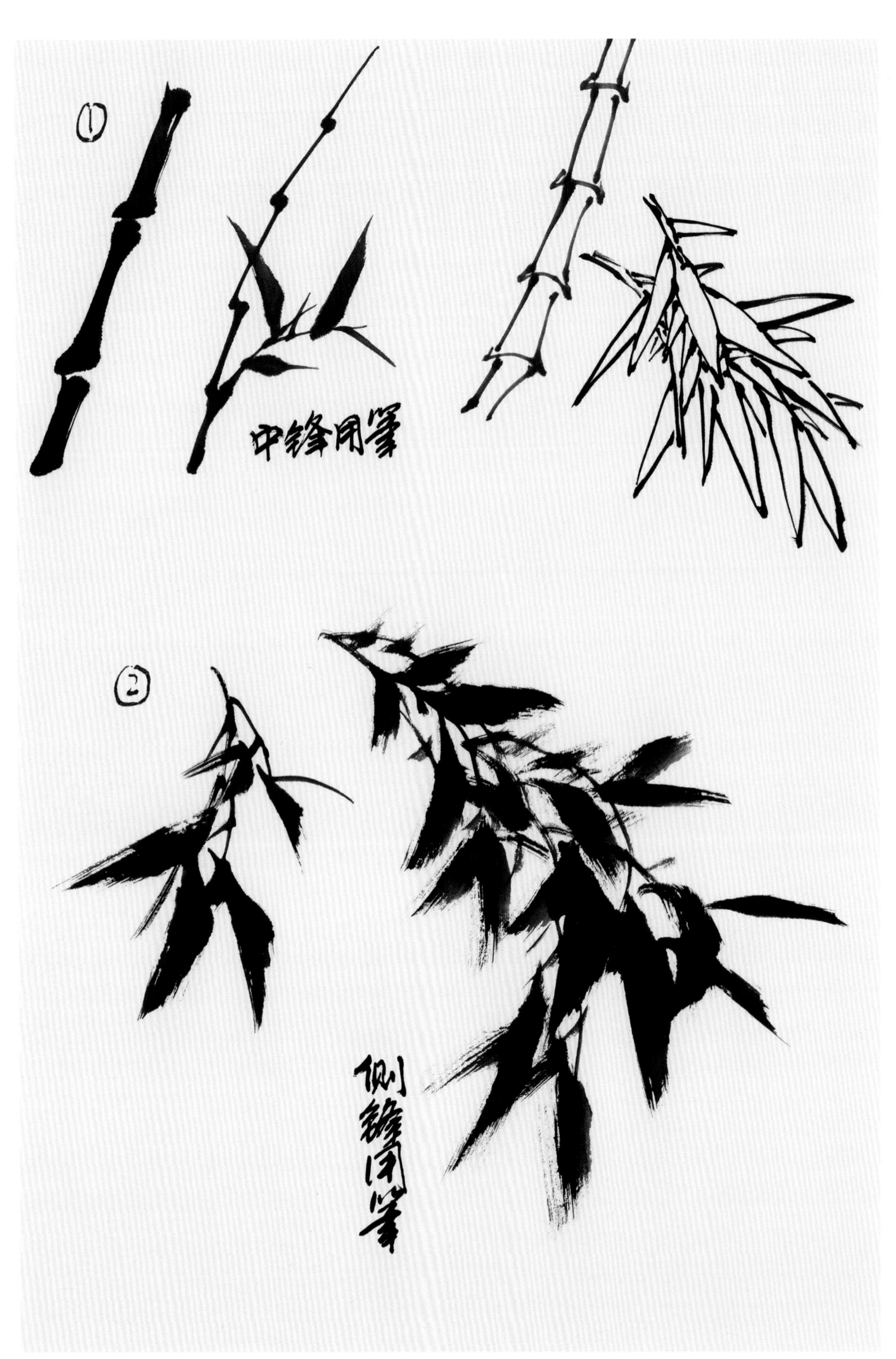

用笔

（1）中锋用笔：笔尖在线的中间行走，稳圆求力。

（2）侧锋用笔：笔尖偏于一边行笔，求轻薄、明快、稳健。

（3）卧笔：在画大的竹干、根块、大笋时可用笔平卧，也可与其他笔法混用。

（4）双钩、点染、擦：用一种方法表现一种物象不够时可几种方法混用，变化则丰富。

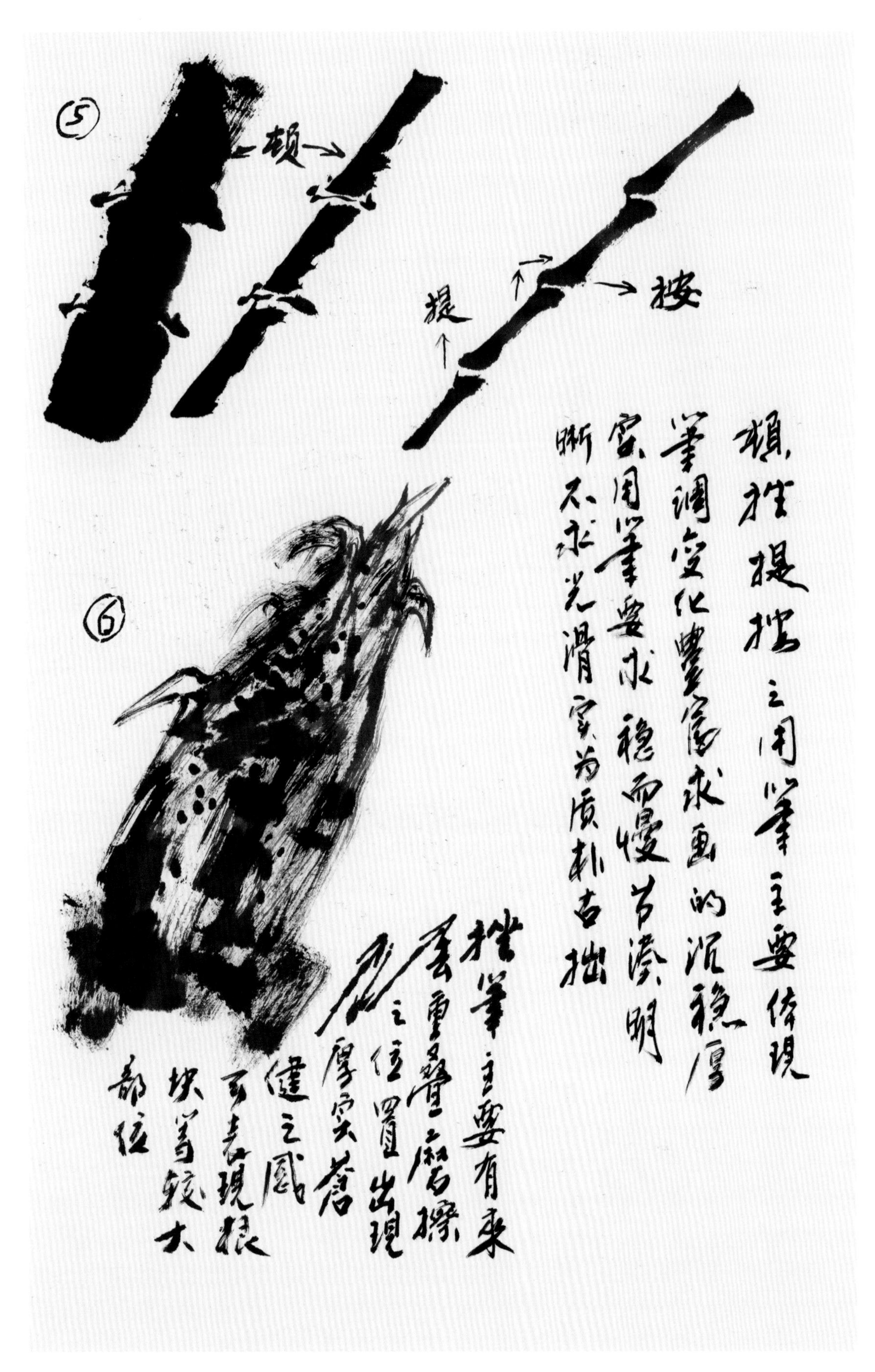

（5）顿挫提按用笔：主要体现笔调变化丰富，求画的沉稳厚实，用笔要求稳而慢，节奏明晰不求光滑，实为质朴古拙。

（6）挫笔：主要用于来去重叠磨擦之位置，出现厚实苍健之感，可表现根部等较大部位。

用墨

1. 墨的分类

墨分五色：焦墨、浓墨、重墨、淡墨、清墨。

焦、浓、重、淡、清实为墨色的排列，也称为墨阶。欲熟知墨阶就要注重它们之间有过渡的连贯性，不宜跨度过大，以免脱节，也称之不贯气。

（1）重墨干笔：适合画近竹，也可画雪竹。

（2）淡墨干笔：画远竹应时时注意淡而干的用笔。

2. 破墨法

（1）浓破淡：先以淡墨画一组竹叶，趁所画竹叶未干即以浓墨在其上叠画，两墨相叠，前后层次也出来了。

（2）淡破浓：先以浓墨勾出竹的形，趁所勾墨线未干即以淡墨点破，所化之墨活泼多变，但又不失原物形。

三、着 色

中国画以单纯的墨色作画，同样可以使人感到丰富多彩，显得高雅、耐人寻味。但通过着色的画会显得华丽、润泽、浑厚。

着色是值得摆在重要位置研讨的问题。“色不伤墨”“色调和谐”等都是经验总结，所以着色首先得了解颜色的性能，把握画面所需要的色彩调子。

写意花鸟画可以先写完墨稿，墨干后再着色，也可以墨色混写，或以色没骨点写，根据需要还可间以醒点，画完再以淡色浑罩，烘托也可，均应根据不伤墨和色调需要而灵活运用。

（1）以墨的浓淡干湿变化为主画成的墨竹，作画时要充分发挥墨色作用，先画枝干，组合疏密得体。

（2）添画竹叶，笔尖点上浓墨按“重人”法画，随着浓墨减少再点清水画出即有淡墨变化，作画时把握水分很重要，不宜水分过多。

双钩：

（1）以中淡墨勾出竹干、小枝。

（2）在小枝上画竹叶，竹叶的组织方法以重人画法为主。

着色：

（1）以三绿轻填叶体，不宜填太满，求灵动透气。

（2）以赭石点染叶尖、叶根和枝干，增强画面效果。

以色画干：

（1）以朱砂直接点画枝干。

（2）注意枝干之间的疏密变化也可像画墨竹一样有干湿浓淡变化。

以色画叶：

（1）以朱砂按“重人”法组合竹叶。

（2）以点或小人字调整疏密关系，同时也应注意色的浓淡变化。

四、构　图

构图是重要环节，“六法”中的“经营位置”即是构图。构图的好坏影响着整体画面的效果。构图方法很多，一般来说，常用的构图方法有“两组线”构图、“三组线”构图、“十”字构图、“X”形构图、“之”字构图、“S”形构图、“C”形构图和三角形构图等，下面介绍几种常见构图方法。

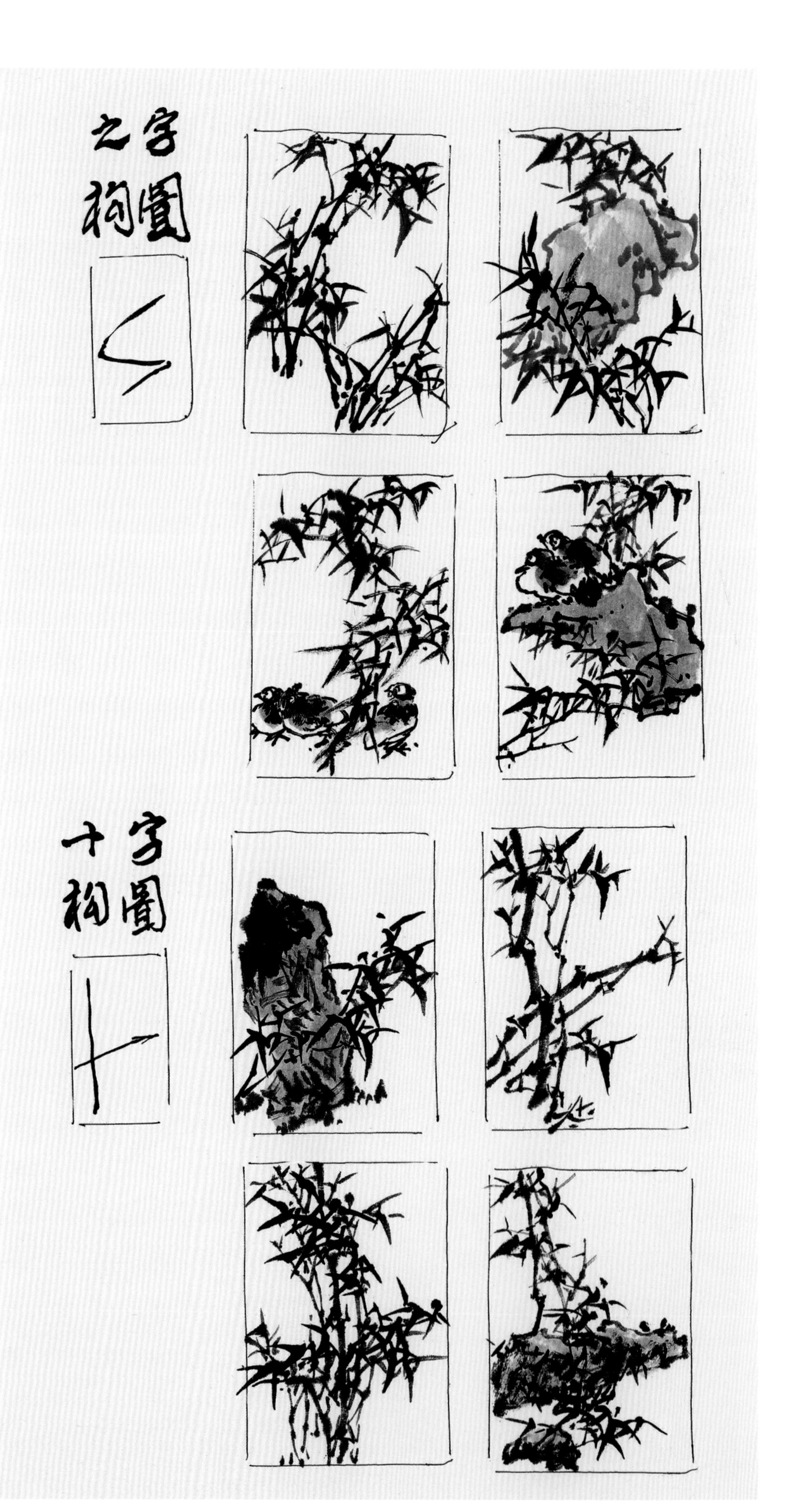

白描十字构图举例

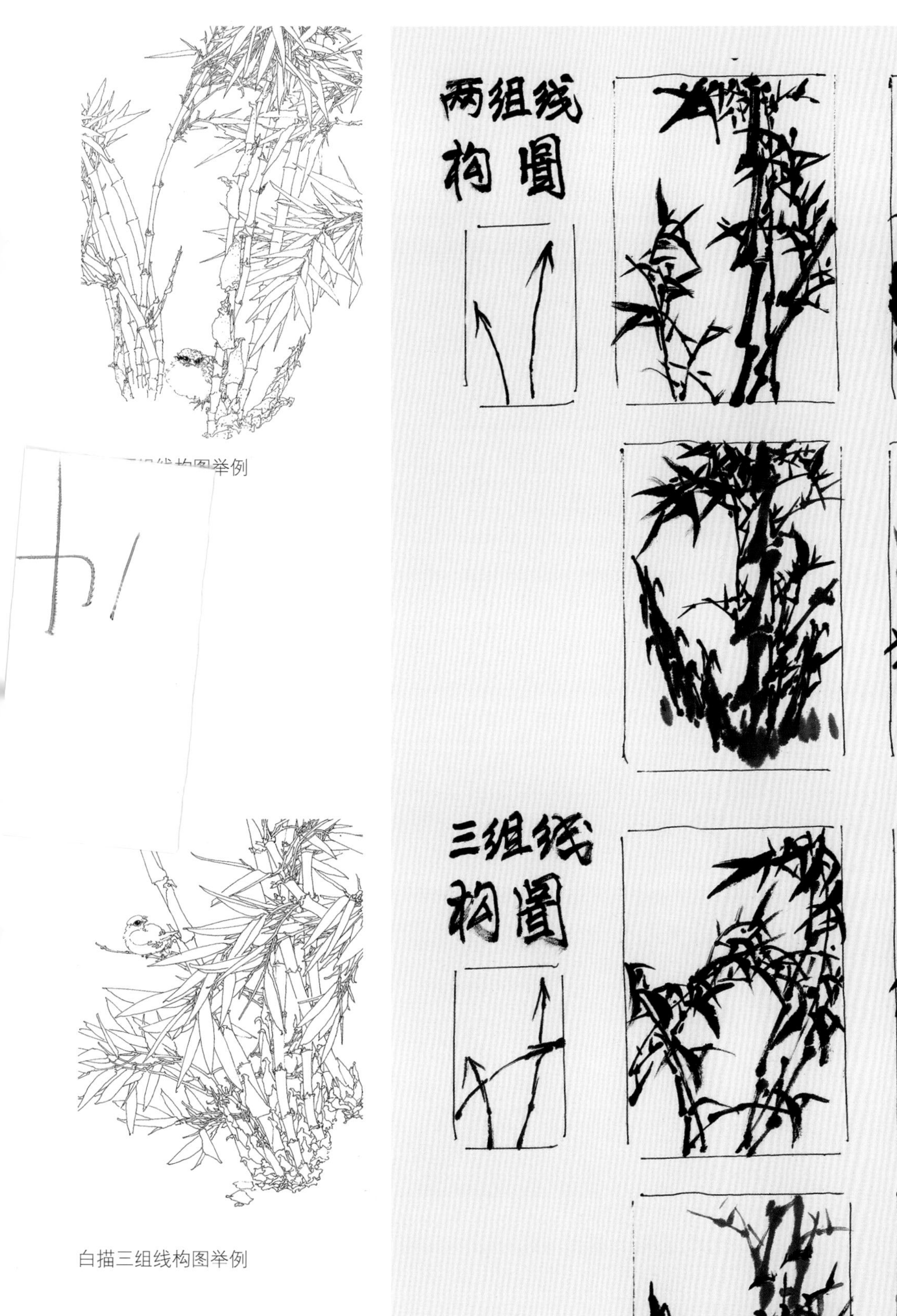

组线构图举例

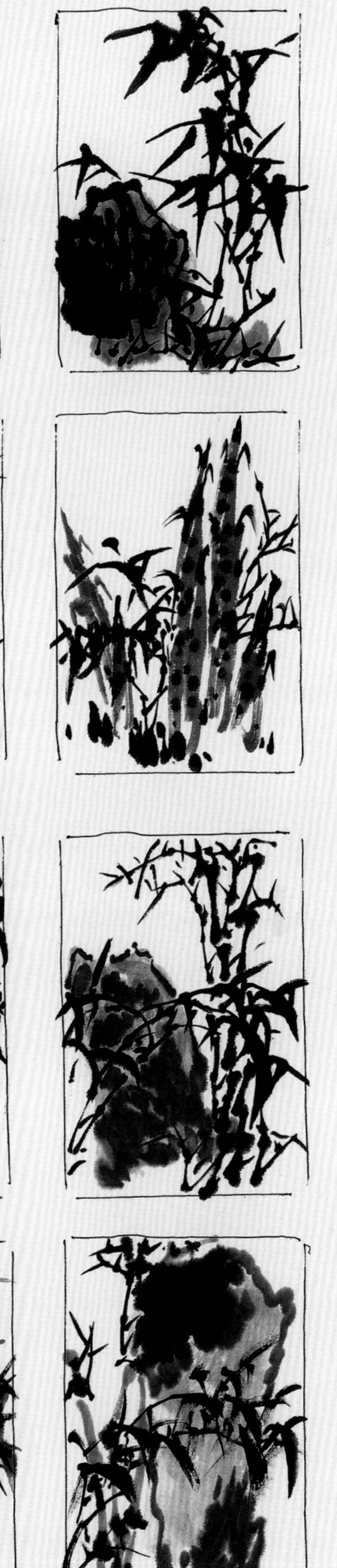

白描三组线构图举例

五、竹子的画法

（一）竹叶的画法

1.“人”字、“个”字与“父”字画法

（1）“重人”的画法就是把一个个“人”字重叠在一起，多少、疏密根据需要而定。

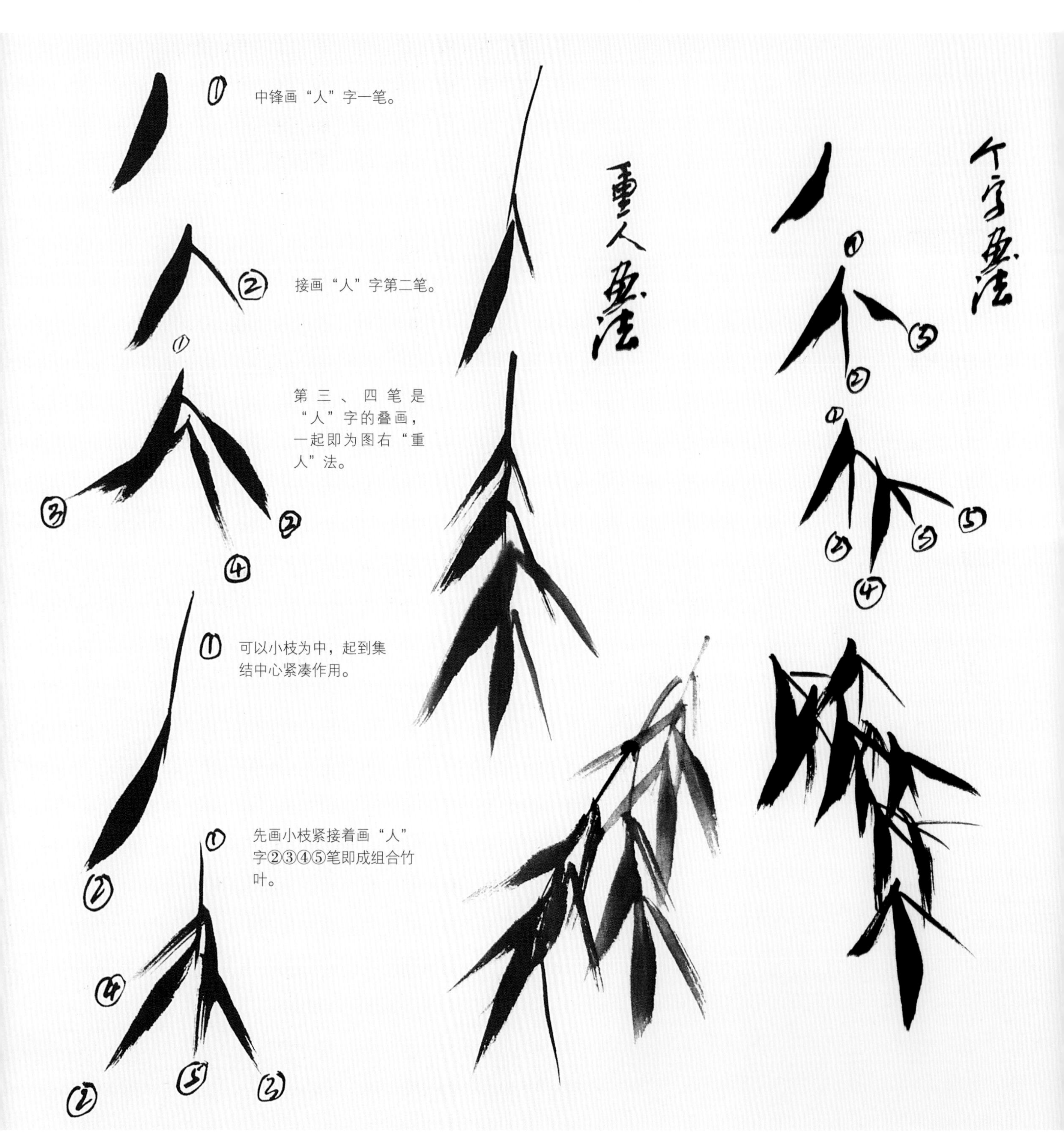

（2）个字画法就是把“个”字重叠在一起。
（3）父字画法就是把“父”字聚一起即成一丛竹叶。

2.一川与高燕画法

（1）一川画法以一、川为单位进行组合。
（2）高燕法以父字法加一点于上方。高燕法为风竹结顶，结顶随后以父字或重人组合。

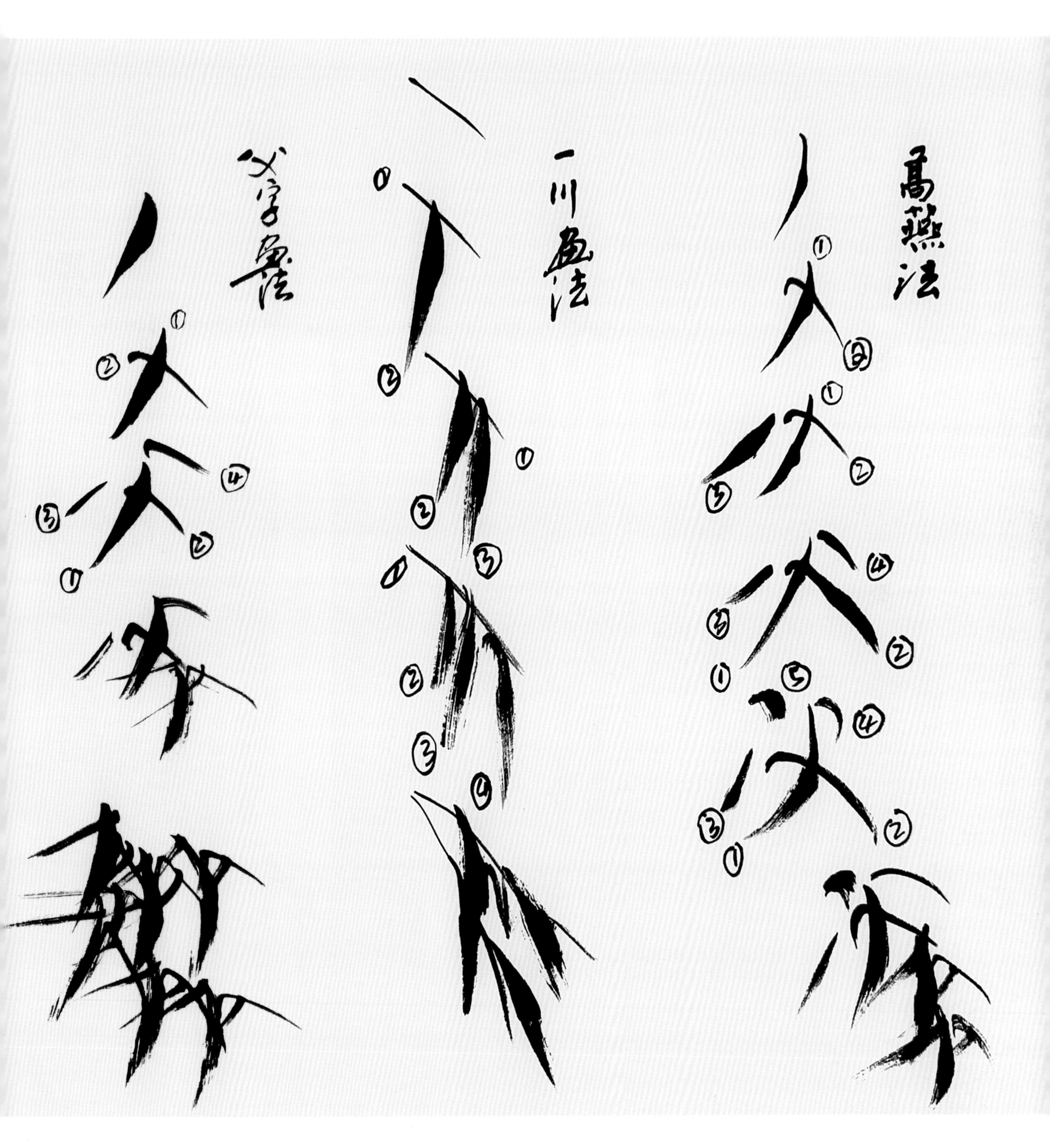

各种叶子举例

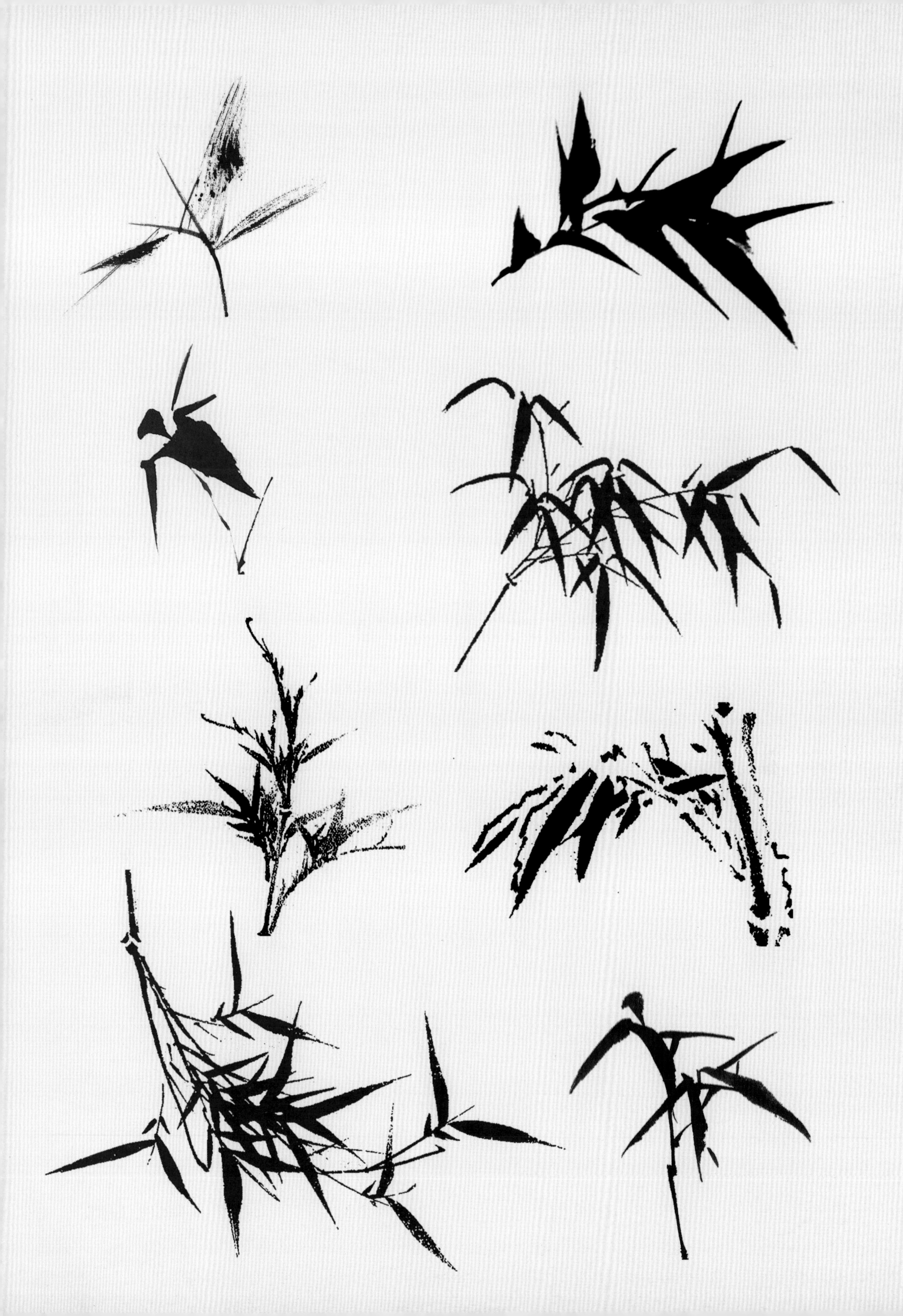

（二）竹干的画法

1. 没骨画法

（1）起笔时应用中锋像写隶书一样落笔，竹干的中间部分差不多，越靠近地面的竹节越短。
（2）画竹节时，要有力度地接节，方法有两种，如图。
（3）画小分枝时注意给画面形成一种活泼、生动的气氛，小枝长于叶，细于叶。
（4）构图时忌干与干平行、对长、中间交叉，应大竹小竹相错，根部高低不平。

竹枝畫法

2. 双钩画法

（1）以中淡墨画出竹干外形。
（2）以中墨添画竹节，不宜与干一样大小，要往外张扬，方显大气。
（3）添画小枝要注意其跨位穿插，以求灵活多变。
（4）以色进行渲染烘托使它饱满厚实。

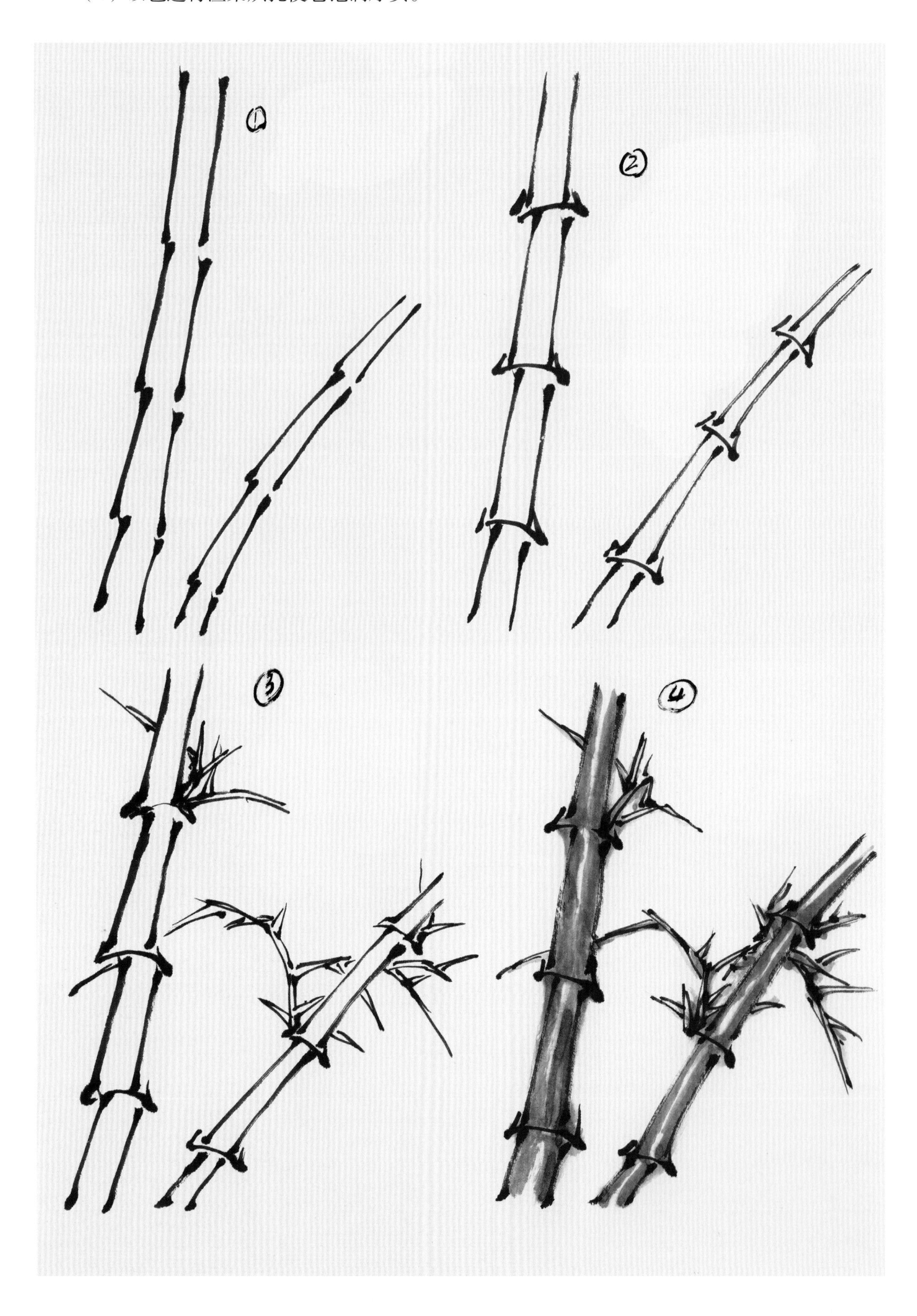

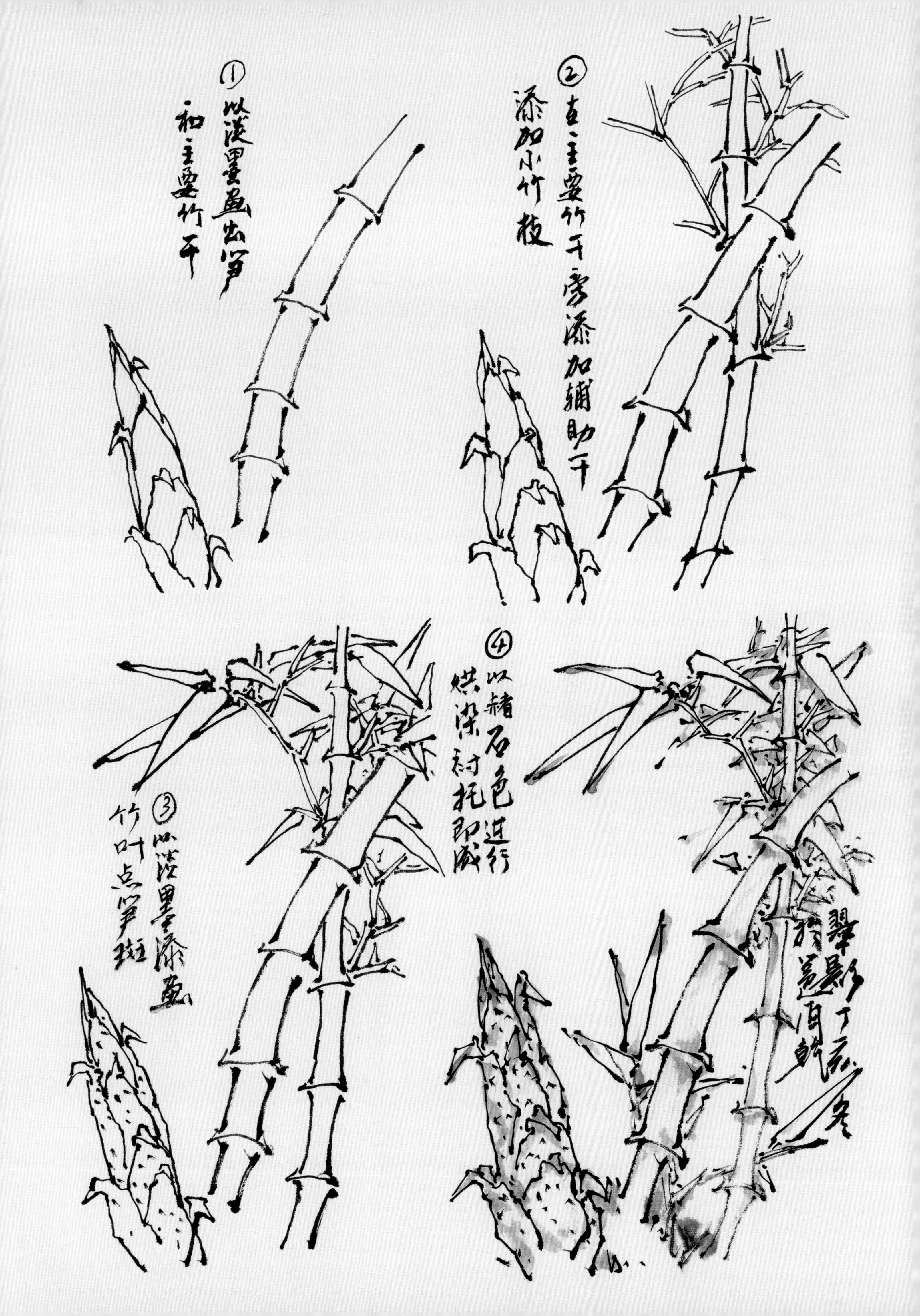

①
以淡墨画出笋
和主要竹干
②
主要竹干旁添加辅助干
添加小竹枝
③
以浓墨添画
竹叶点笋斑
④
以赭石色进行
烘染衬托即成

（三）竹笋的画法

用笔可以从下至上，也可从上往下，尽可能整体，在未完全干时加斑点，笔肚应含中淡墨按竹壳生长逐片画。

（1）①②③④以淡墨一笔接一笔往下叠画成笋形。⑤以重墨画笋尖。⑥画完笋尖顶和笋耳后点上斑纹。

（2）①②③以淡墨由下而上画成笋的基本形。④以重墨画笋顶部分。⑤画完笋耳后点上斑纹。

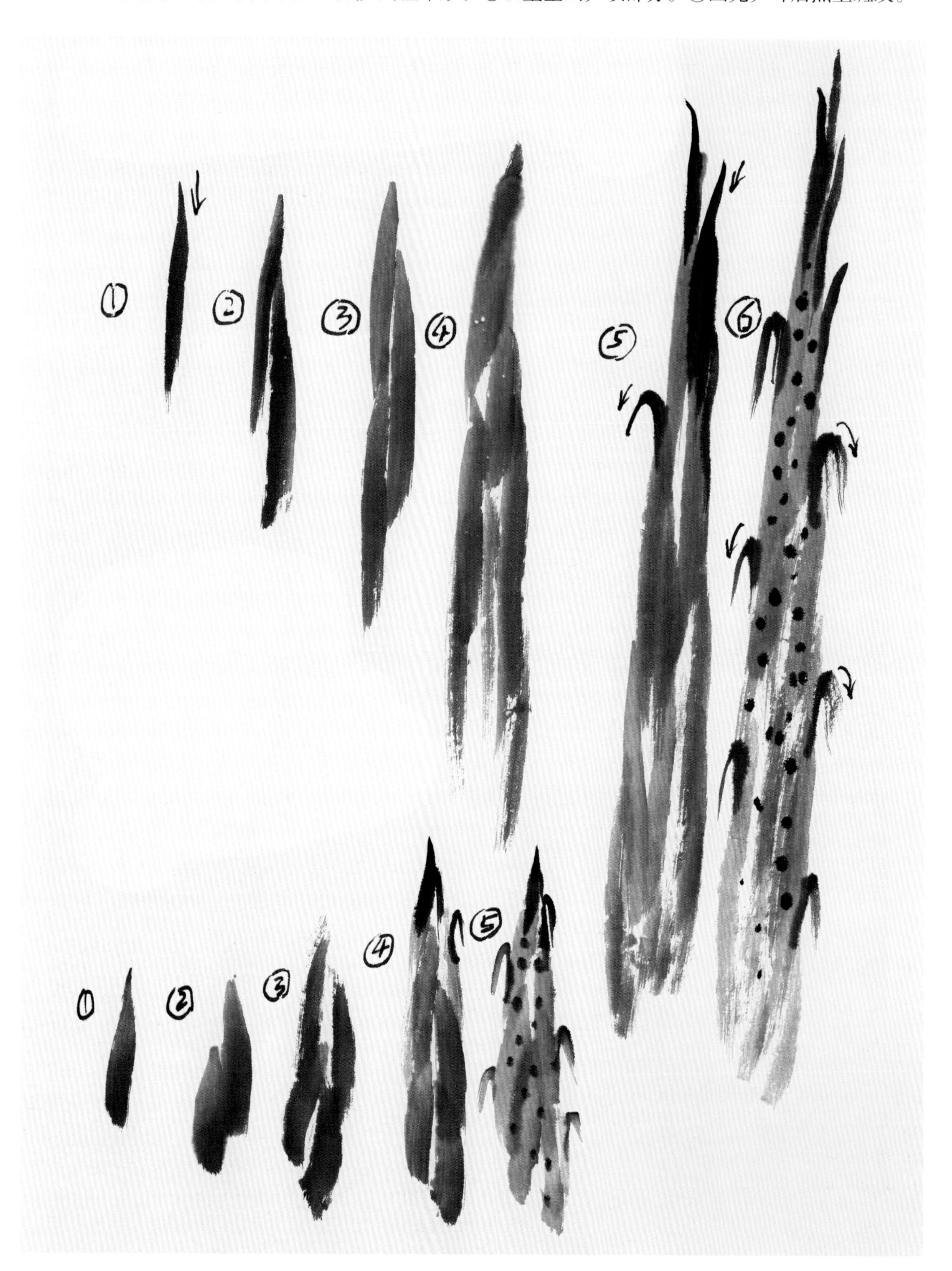

（四）晴竹、风竹、雨竹、雪竹的画法

1. 晴叶、风叶、雨叶、雪叶画法

（1）晴叶画法：①以中淡墨画枝干。②所画竹枝以平开向上居多。③以中浓墨画竹叶，竹叶平开或有一些向上。

（2）风叶画法：①以淡墨画干。②以淡墨画枝，注意枝往一边弯斜。③以浓淡墨画叶，迎风顶部可用高燕法，背风处用重人法。

（3）雨叶画法：①以中淡墨画干。②以中淡墨画向下垂小枝。③笔头饱含浓淡墨画向下垂叶子，用重人画法。

（4）雪叶画法：①以干笔画干，注意保留一定飞白效果。②以干笔画枝与叶，保留多些飞白，枝下垂为宜。③在画面中打上一些不规则状的白粉，以中淡墨染背景，在叶面、枝干上方留一定的空白即成。

2. 晴竹、风竹、雨竹、雪竹的步骤

（1）晴竹：晴天之竹，初画者可先以较简单结构临写，墨色少变。

步骤一　先以中浓墨画出主干，然后再添画小枝。

步骤二　添画平开或稍向上叶子，少画向下的垂叶。

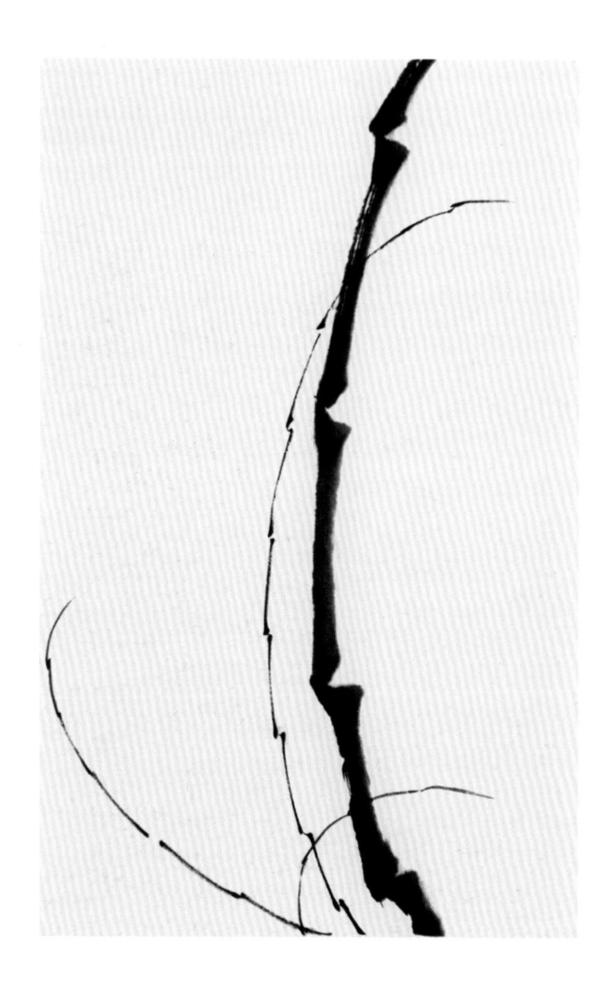

（2）风竹：枝往一边倒，枝叶顺风势。

步骤一　以浓墨画往一边倾斜的枝干，形成略弯紧凑姿势。

步骤二　以浓淡墨画背风处的叶，以重人法为多，迎风结顶处用高燕画法。

（3）雨竹：枝下垂，画时水分较多，叶多下垂。

步骤一　以浓淡墨先画出主干之后添画向下垂吊小枝。

步骤二　笔头饱含浓淡墨，以重人法紧凑地画向下垂吊的叶子，有时在一些叶尾处可顺点上小点，不宜过多。

（4）雪竹：枝下垂，画枝与叶保留多些飞白。

步骤一　以浓墨干笔、顿笔画出主干，添画小枝要苍拙。

步骤二　以浓墨干笔画出顿笔、苍拙叶。待墨干之后用花青调墨以淡色衬出雪。枝叶上方留白，下方染满即成。

（五）竹子的各种画法

（1）以枝干为主的画法：主要体现竹干与竹枝组合而成的关系，要有大小长短，分浓、淡、干、湿变化，画小枝时要作为画面聚散疏密处理的主要补充。

（2）以叶为主的画法：以叶为主的画法，要体现它的美感，用笔时要有中锋、侧锋、点等。墨色要体现浓、淡、干、湿四个基本要求。作画时可根据构图以叶子为主体，分组画，组合成整体后再添加小枝干即可。

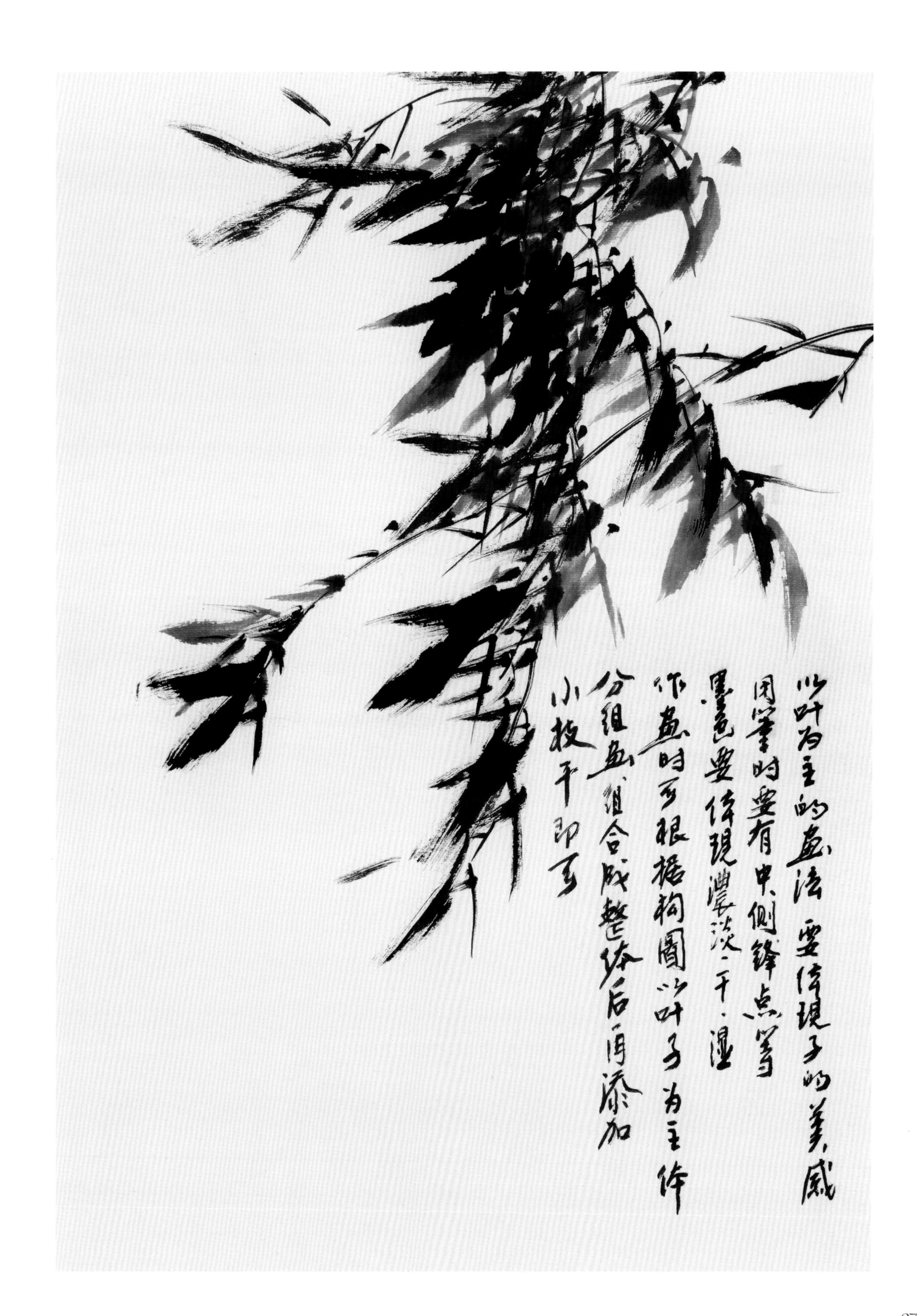

（3）以竹笋为主的画法：画面的主体为笋，叶和点是笋的帮辅关系。画笋时按笋的画法去造型，画多少由自己需要的构图所定。

（4）以笔墨变化为主的画法：以笔墨变化为主也是作画讲究笔墨的要求，有造型而无笔墨显得艺术语言单调，所以画面中要有浓、淡、干、湿四个基本要求，同时也要体现笔墨的相互渗透，体现墨阶关系的墨色贯气。

（5）竹的组合画法：初画竹者对结构画法熟识后应求变化，笔法、墨法都变。

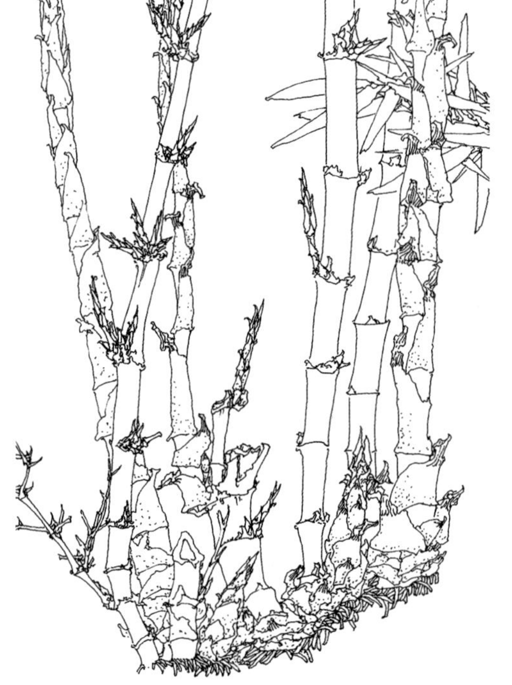

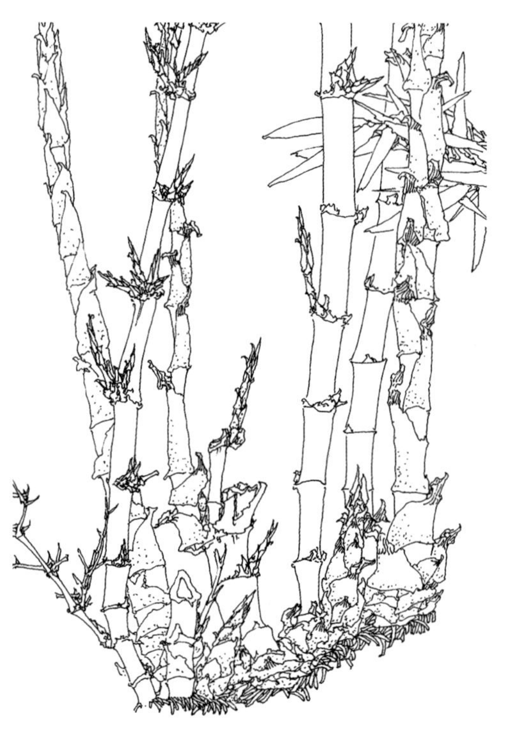

步骤一　以中浓墨画出竹干的基本排列，行笔要有力，注意提按关系。
步骤二　以浓墨画上竹节、竹枝，画竹枝时除要注意疏密聚散外，还应注意穿插依连关系。以淡墨画笋的基本形。
步骤三　以重人或父字法画竹叶，整理时加上点，使得生动疏密得到体现。以浓墨画笋耳并点上斑纹。

六、画竹的步骤

1. 画墨竹的步骤

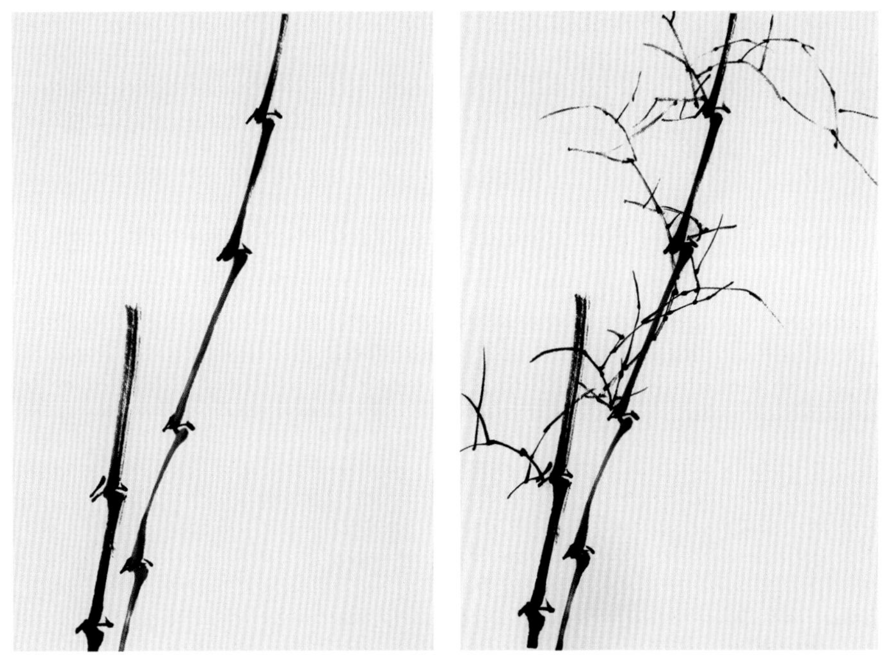

步骤一　以浓墨中锋用笔画竹干，要见笔，要有提按。

步骤二　以浓墨添画小枝，为了达到灵动，枝干要注意“跨位”穿插。

步骤三　以浓淡墨在主要部位以重人、父字法画上竹叶，同时要有中、侧锋用笔，以求变化。

2. 画雪竹的步骤

步骤一　以重干墨画竹干和小枝，要有干沙之笔（飞白），是为表现雪特意而留。
步骤二　以重干墨带飞白添画竹叶，多画平开、下垂之叶片。
步骤三　以浓墨或色衬托，在枝叶上方或干的一侧留出白，即可体现“雪”的感觉，最后也可以洒上一些白色。

七、写生与创作

（一）写生

学生与致力于写意花鸟画的学者都应该通过写生，在与自然的交流中完善自我。

中国古代写生更强调对描绘对象的认识，对写生对象作眼观心识的记录。所描绘的对象多是景物中的个体，或是勾画景物的大意，因而写生往往都是搜集素材，为作品的创作做准备。

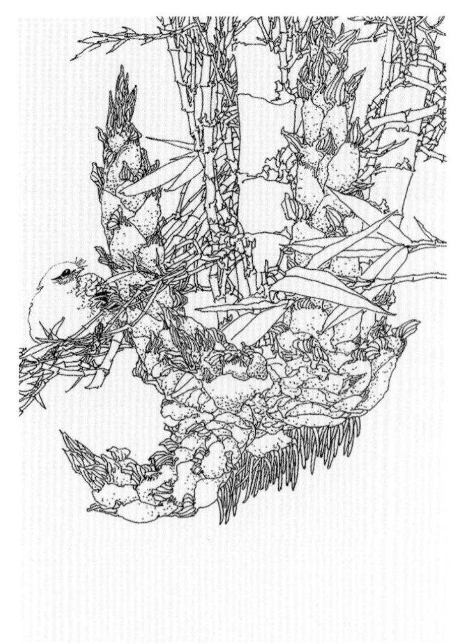

竹实物照片

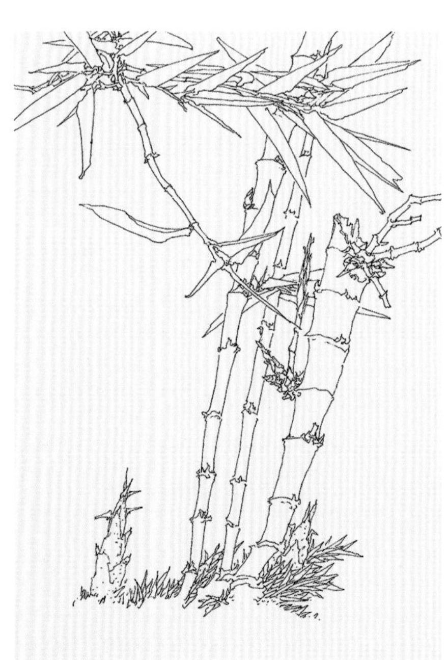

白描写生创作六帧

（二）创作

写生与创作是紧紧相连的血缘兄弟，没有写生的感悟和对物象结构的了解就不会知道其特殊性，就不可能将花鸟精神灌注其中。创作不是照抄生活物象，是作者通过写生对物象认识后意与形的结合物，是有主题、有精神、理想化的再结体，所以写生后再创作是可增补他物或简括提炼而成艺术作品的。

白描创作作品

竹实物照片

水墨创作作品

八、范画与欣赏

历代竹子诗词选

题画（清·郑板桥）

一阵狂风倒卷来，竹枝翻回向天开。
扫云扫雾真吾事，岂屑区区扫地埃。

陈再乾　竹长图　100 cm×53 cm

历代竹子诗词选

题画（清·李方膺）

人逢俗病便难送，岐伯良方竹最宜。
墨法未干才搁笔，清风已净肺肠泥。

陈再乾　晚风集雀　100 cm×53 cm

陈再乾　翠影沐雪图　100 cm×53 cm

历代竹子诗词选

咏竹（清·吴昌硕）

客中常有八珍尝，那及山家野笋香。
寄罢筼筜独惆怅，何时归去看新篁。

历代竹子诗词选

竹里馆（唐·王维）

独坐幽篁里，弹琴复长啸。
深林人不知，明月来相照。

陈再乾　有鸟莫令弹　100 cm×53 cm

陈再乾　百枝直插九天舵　150 cm×42 cm

陈再乾　青影　100 cm×53 cm

陈再乾　一节复一节　千枝攒万叶　100 cm×53 cm

历代竹子诗词选

新竹（清·郑板桥）

新竹高于旧竹枝，全凭老干为扶持。
明年再有新生者，十丈龙孙绕凤池。

陈泽宇　竹茂夏初天　132 cm×33 cm

露濕碧華節
風挂青玉枝
依依似君子無
地不相宜
丁亥仲夏　小红

罗小红　风挂青玉枝　132 cm×33 cm

陈巧华　清风袭人　53 cm×100 cm

历代竹子诗词选

竹里（清·蒲松龄）

尤爱此君好，摇摇缘拂天。
子猷时一至，尤喜主人贤。

李匀　翠竹新秋　132 cm×33 cm

历代竹子诗词选

题刘秀才新竹（唐·杜牧）

数茎幽玉色，晓夕翠烟分。
声破寒窗梦，根穿绿藓纹。
渐笼当槛日，欲碍入帘云。
不是山阴客，何人爱此君。

谭明彪　朱竹　100 cm×35 cm

梁彩媚　春风　60 cm×46 cm

黄栎伊　新篁才解箨　220 cm×53 cm

吴锁　风竹图　220 cm×53 cm

历代竹子诗词选

竹石（清·郑板桥）

咬定青山不放松，立根原在破岩中。

千磨万击还坚劲，任尔东西南北风。

元 顾安 墨竹图 62.9 cm×28.5 cm

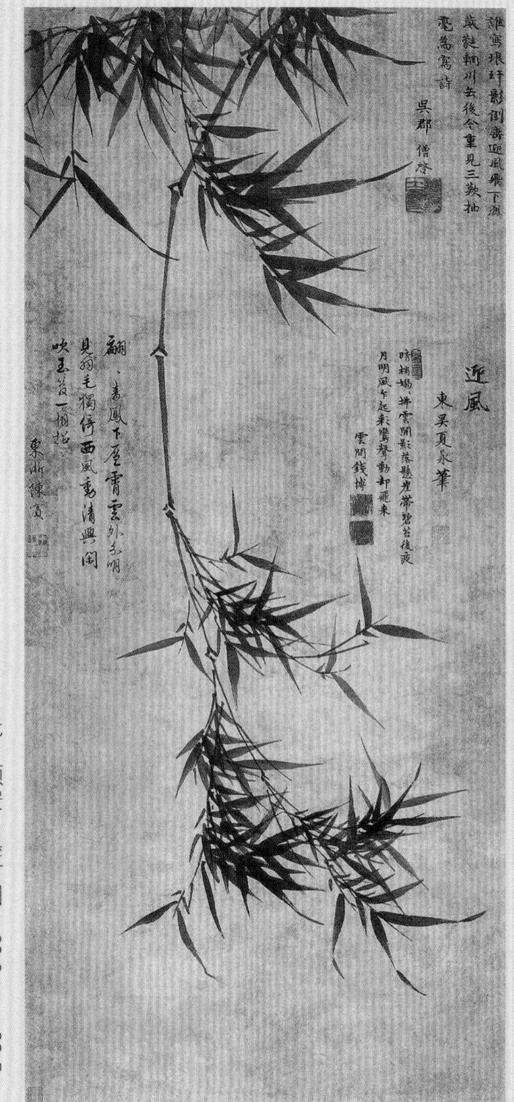

明 夏昶 风竹图 116 cm×52.3 cm

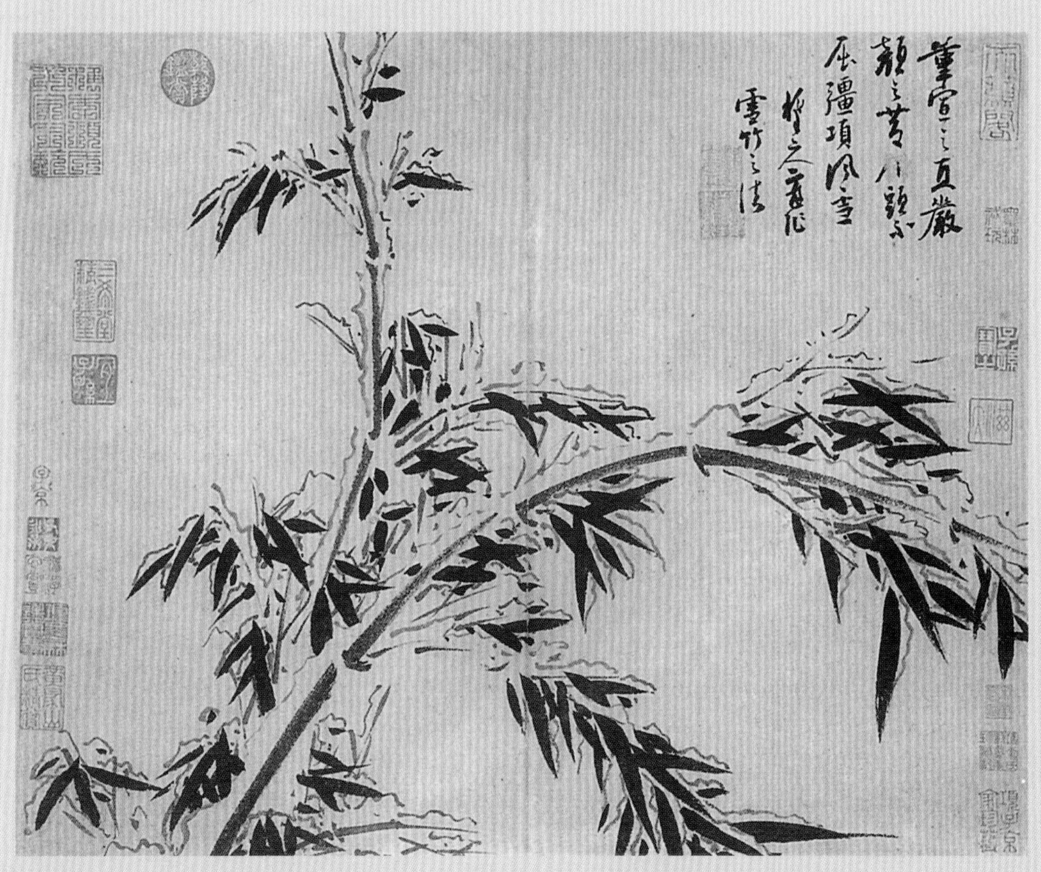

元 吴镇 墨竹谱（局部） 40.3 cm×52 cm

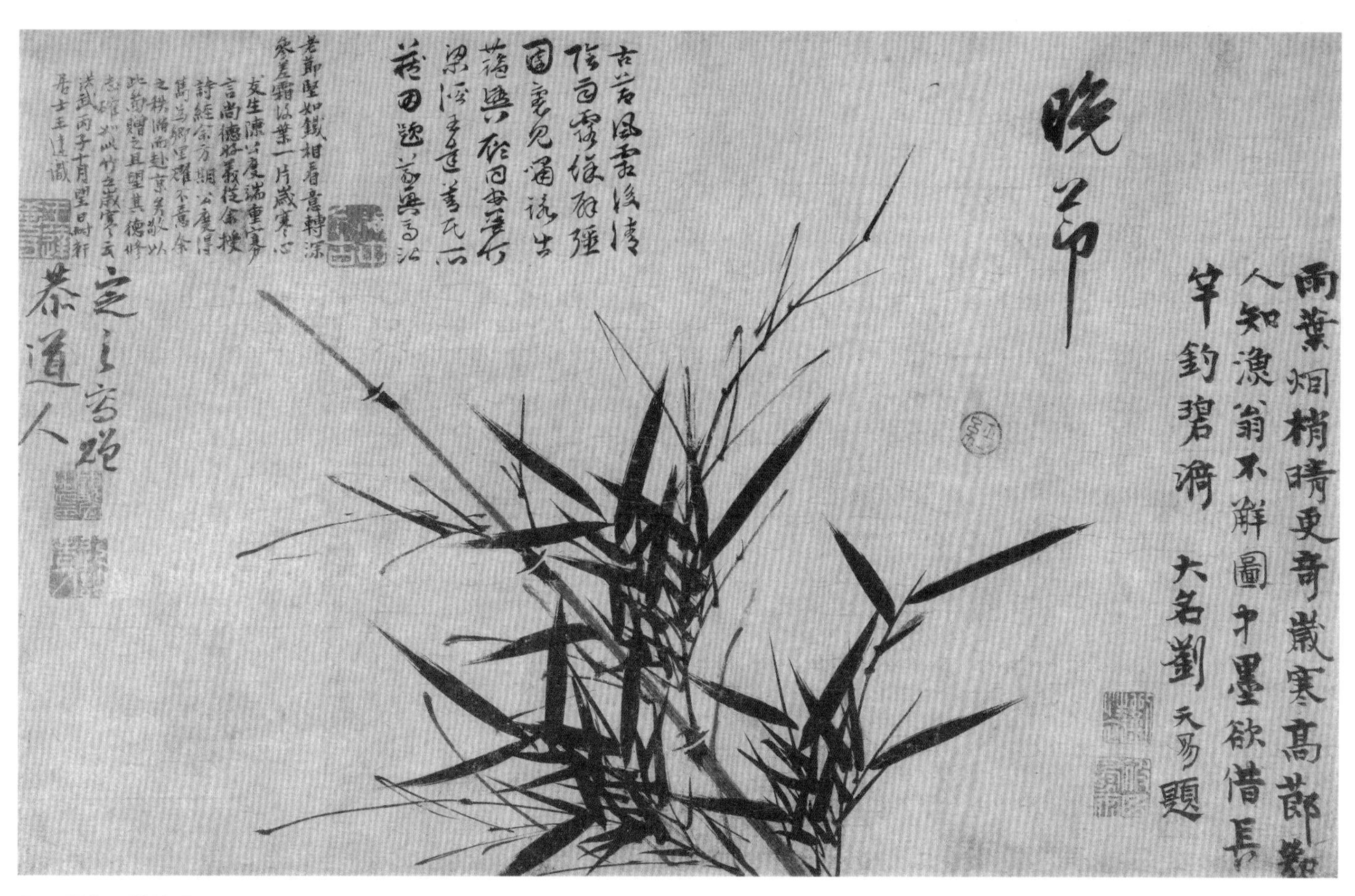

元　顾安　墨竹图　30.5 cm×49 cm

元　朱德润　浑沦图　29.7 cm×86.2 cm

明　陶成　竹凫图　27.8 cm×124 cm

明　夏昶　戛玉秋声图　151 cm×63.7 cm

齐白石　朱竹图　139.5 cm×38.5 cm